LES PLUS BEAUX CONTES D

Ivan et l'oiseau de feu

raconté par MARLÈNE JOBERT

Éditions Glénat
Couvent Sainte-Cécile
37, rue Servan
38000 GRENOBLE

Avec la participation de Marlène Jobert
Illustrations : atelier Philippe Harchy
Photo de couverture : Éric Robert/Corbis
Prépresse et fabrication : Glénat Production

Achevé d'imprimer en janvier 2014 en Italie par L.E.G.O. S.p.A.,
Viale dell'industria, 2
36100 Vicenza
Le papier utilisé pour la réalisation de ce livre provient de forêts gérées de manière durable.
Dépôt légal : février 2014
ISBN : 978-2-3440-0027-4

Loi n°49-956 du 16 juillet 1949 sur les publications destinées à la jeunesse.

Dans un royaume très lointain vivait le grand roi des Plaines rouges. Ses richesses étaient sans limites, mais le plus beau de tous ses trésors était sans aucun doute son pommier magique. Car sur cet arbre, écoutez bien parce que c'est incroyable, poussaient des pommes en or, de belles pommes rondes et scintillantes qui faisaient toute la joie et la fierté de Sa Majesté !

Bien sûr, il était défendu d'en manger, ou même simplement d'y toucher. Aussi, quelle ne fut pas la surprise du roi lorsqu'un matin il remarqua qu'il en manquait une. Le surlendemain, il en manquait trois, et le jour d'après, cinq. Sacrilège ! Quelqu'un volait les fruits fabuleux !

Le roi furieux envoya des hommes monter la garde dans le jardin. Mais au petit matin, devinez quoi ! Au pied du pommier, tous les gardes ronflaient profondément. À leur réveil, tous racontèrent cette histoire invraisemblable : une mélodie cristalline les avait empêchés de résister au sommeil. En attendant, de nouveaux fruits avaient disparu, et personne n'avait vu le voleur !
Le roi des Plaines rouges avait un fils, Ivan.
Ce jeune homme intrépide et débrouillard lui proposa :
- Père, laissez-moi passer la nuit au pied du pommier, et vous verrez qu'avant l'aube je tiendrai le coupable !
À la nuit tombée, il va se poster sous l'arbre magique et, dans l'obscurité, il attend. Vers minuit, la fameuse mélodie douce et cristalline se fait entendre. Alors vite vite, pour ne pas se laisser atteindre par l'irrésistible musique aux pouvoirs étranges, le jeune homme se frotte vigoureusement le visage avec de la rosée glacée et se bouche les oreilles. Quelques secondes plus tard, le ciel entier s'éclaire comme si le soleil venait de tomber dans le jardin.
Ivan se débouche les oreilles lentement et prudemment : la musique s'est arrêtée.

Et voilà que soudain un oiseau incroyablement lumineux se pose sur le pommier... Ses ailes sont couleur de feu, et chacune de ses plumes est pareille à une flamme brillante et rougeoyante ! Mais voilà que tout à coup l'oiseau merveilleux se met à picorer à toute vitesse les pommes d'or ! Ivan bondit, le saisit par la queue, mais trop tard : l'oiseau s'est envolé, ne laissant dans la main d'Ivan qu'une plume rouge scintillante.
Le lendemain matin, le jeune homme court trouver le roi :
- Père, j'ai vu le voleur : c'est un oiseau de feu. Voyez cette plume, que j'ai arrachée à son plumage ! Mais hélas, il a volé vos derniers fruits et s'est échappé.
- Maudit animal ! Mon fils, je veux que tu le retrouves et que tu me le ramènes.
Ivan embrasse son père et se met en route. Il chevauche toute la journée, et, le soir venu, il décide de s'arrêter dans une forêt afin d'y passer la nuit. Il attache son cheval à un arbre, se couche sur la mousse et s'endort.

Un peu plus tard, dans la nuit noire, deux points jaunes et lumineux s'approchent. C'est un grand loup gris. Voilà plusieurs jours qu'il n'a pas mangé, alors d'un bond il se jette sur le cheval d'Ivan et le dévore ! Seulement son ventre est devenu tellement lourd qu'il n'a plus la force d'aller plus loin, et comme une masse il s'affale à côté du jeune homme et s'endort.

Au petit matin, Ivan ouvre les yeux et comprend immédiatement ce qui s'est passé. Il secoue très fort l'animal pour le réveiller :

- *Ce n'est pas un vulgaire loup gris qui va me faire peur ! Comment je vais faire, moi, maintenant, pour trouver l'oiseau de feu sans mon cheval ?*

- *Je suis désolé, j'avais tellement faim !* répond l'animal en baissant la tête. Puis, il reprend :

- *Mon pauvre garçon, de toute façon avec ton cheval, jamais tu n'y serais arrivé ! Je suis le seul à savoir où trouver l'oiseau de feu : il vit dans le pays du roi de l'Orient bleu. Pour me faire pardonner je vais t'y emmener. Allez ! Monte vite sur mon dos et tiens-toi bien.*

Ivan grimpe sur le dos du loup qui se met aussitôt à galoper, à galoper vite, très vite, plus vite que l'éclair, franchissant lacs et rivières. La nuit venue, ils arrivent au pied d'une forteresse.
- *Voilà !* dit le loup à voix basse. *Tu n'as qu'à escalader ce mur. Derrière, tous les gardes sont endormis. Au fond de la cour, tu trouveras une cage recouverte d'un voile de soie. C'est là que l'oiseau de feu rentre dormir chaque soir. Prends la cage, mais attention : surtout, ne soulève pas le voile, sinon tu...*
Mais le jeune homme a déjà franchi le mur !

La cage est bien là. Ivan a parfaitement entendu le conseil du loup : ne pas toucher au voile. Seulement... seulement comment savoir si l'oiseau se trouve bien à l'intérieur ? Il faut vérifier. Mais hélas, à peine a-t-il soulevé un coin du voile, qu'une lumière aveuglante éclaire toute la cour !

Les gardes, réveillés en sursaut, attrapent Ivan et le traînent aux pieds du roi de l'Orient bleu. Celui-ci est tellement furieux que son turban en est tout de travers :

- *Qui es-tu, jeune blanc-bec, pour oser approcher de mon oiseau de feu ?* hurle sa majesté.

- *Majesté, je suis le fils du roi des Plaines rouges...*

- *Un fils de roi qui vole ! Quelle honte !*

- *Mais c'est votre oiseau de feu qui a commencé ! Il a volé les pommes d'or du jardin de mon père ! Voilà pourquoi je suis venu le chercher !*

- *Hum... hum, je comprends,* grogne le roi de l'Orient bleu tout en rajustant son turban. *Écoute, mon garçon : je tiens beaucoup à cet oiseau, mais, par respect pour ton père, j'accepterai de te le donner, à une condition : j'exige en échange que tu me rapportes la chèvre aux cornes d'argent du roi de la Taïga blanche. Ses cornes ont le pouvoir, quand on les caresse, de guérir les maux de tête dont je souffre atrocement depuis des années. Le royaume de la Taïga blanche se trouve au bout de la terre.*

Ivan, nullement impressionné, promet de revenir avec la fameuse chèvre aux cornes d'argent, puis retourne auprès de son ami le loup gris.

- *Quoi ! Tu as touché le voile ! Ivan, je t'avais pourtant dit de ne pas le faire ! Dans quelle histoire t'es-tu encore fourré ! Enfin, quand on a commencé quelque chose, il faut aller jusqu'au bout. Allez, monte vite sur mon dos et tiens-toi bien.*

Ivan grimpe sur le dos du loup qui se met aussitôt à galoper, à galoper vite, vite, très vite, plus vite que le vent, franchissant bois et champs. À la nuit tombée, ils parviennent tout au bout de la terre, dans un autre royaume recouvert de neige, celui du roi de la Taïga blanche.

Le loup s'arrête près de l'étable royale et dit à voix basse :
- Ivan, écoute-moi bien. C'est ici que dort la chèvre aux cornes d'argent. Cette bête est somnambule. Tu n'as qu'à entrer, siffler doucement comme cela... et, dans son sommeil, elle te suivra. Mais surtout, surtout ne touche pas son collier, tu la réveillerais, et alors elle...
Mais Ivan est déjà rentré dans l'étable. Il commence par faire ce que loup a dit : il siffle, siffle encore... mais la chèvre ne bouge pas. Le jeune homme finit par s'impatienter, et sans réfléchir il la saisit par son collier. Aussitôt, l'animal sort de son rêve, fait un bond et se met à pousser de puissants bêlements en secouant de tous côtés ses magnifiques cornes d'argent ! Les gardes, tirés brusquement de leur sommeil, se précipitent sur Ivan et le traînent jusque devant le roi de la Taïga blanche.

Une fois encore, Ivan raconte toute son histoire. Ce roi, la barbe hérissée de colère, lui lance un regard glacé !
- *Tu apprendras, petit insolent, que nul ne s'empare de ma chèvre aux cornes d'argent aussi aisément ! Cependant, ta témérité m'intéresse... Elle peut même m'être très utile,* ajoute-t-il en se caressant la barbe. *Ma fille, ma chère princesse Pétrouchka aux cheveux couleur de soleil, est retenue prisonnière chez le sorcier de la Steppe sacrée. Jusqu'à présent, aucun chevalier parti à sa recherche n'en est revenu. Mais, si tu me la ramènes, je te donnerai ma chèvre et... et la main de ma fille, si tu lui plais.*
Ivan sort du palais de la Taïga blanche en ronchonnant :
- *Zut de zut de zut, alors ! Je dois passer ma vie à parcourir la terre dans tous les sens pour les rois du monde entier. Ça peut durer longtemps, cette histoire ! Et toi, le loup, ce n'est pas la peine de me faire la morale !*
- *Mais je n'ai rien dit. Allez, monte !* répond le loup malicieusement.

Deux jours de blizzard plus tard, Ivan et le loup gris atteignent la Steppe sacrée. Après avoir escaladé de grands rochers couverts d'épines, ils arrivent devant le château du sorcier. Mais là, quel spectacle étrange...
Partout autour d'eux se dressent des statues représentant des jeunes hommes, des princes et des chevaliers...
Le loup chuchote à l'oreille d'Ivan :
- *Voilà le sort jeté par le sorcier aux malheureux imprudents !*
Le monstre les a tous changés en statues !
- *Oh ! arrête ! Tu ne parviendras pas à me faire peur !* réplique Ivan, la gorge tout de même un peu serrée. Son regard est soudain attiré par un éclat de lumière dorée qui scintille derrière une fenêtre, tout en haut de la tour. Ce sont les cheveux couleur de soleil de la plus belle des princesses, la princesse Pétrouchka.

Ivan lève la tête et rencontre alors les yeux de Pétrouchka, de grands yeux noirs si désespérés que le prince en est ému aux larmes. Il reste là, bouche bée, à l'admirer.
- *Hé !* dit soudain le loup en le tirant par la tunique. *Tu vas rester là planté longtemps ? Tu n'as pas mieux à faire ?*
Ivan reprend alors ses esprits et crie à la jeune fille :
- *Princesse ! Votre père m'envoie pour vous délivrer !*
Le visage de la princesse s'illumine… mais elle n'a pas le temps de répondre : un horrible ricanement surgit.
Ivan se retourne et voit apparaître le terrible sorcier de la Steppe sacrée. Son corps tout noir est maigre, ses yeux rouges de cruauté lancent des éclairs… Il porte autour du cou un étrange pendentif…

- *Regarde bien son pendentif,* chuchote le loup à l'oreille d'Ivan. *Il est en forme d'œuf. Le sorcier est si puissant qu'il a réussi à capturer à l'intérieur sa propre mort, et il la retient prisonnière dans cet œuf. Vite, à toi de jouer ! Attrape l'œuf et brise-le !*
Pour la première fois, Ivan sent la peur l'envahir. Mais il pense aux beaux yeux de Pétrouchka et se jette sur le sorcier. Hélas, celui-ci est encore plus rapide : il lève la main, et aussitôt les jambes du jeune homme restent clouées au sol, comme paralysées. Et lentement, elles deviennent lourdes, lourdes, et commencent à se changer en pierre !

- *La plume ! Sors vite la plume de l'oiseau de feu et agite-la !* chuchote le loup.
Aussitôt sortie de la poche d'Ivan, la plume scintille de mille feux, et... ohhh ! fait éclater la pierre qui retient ses jambes prisonnières !
Le sorcier entre alors dans une colère qui fait trembler tout le château :
- *Petit freluquet ! Tu crois pouvoir me vaincre ! Ah ah ah ah ah...*
Et d'un seul coup, il se change en terrible dragon rouge et noir. La bête se rapproche, hurlante et rugissante. Ivan dégaine son épée, frappe la carapace du monstre, mais la lame se brise sur ses écailles !
Tout semble perdu...
- *La plume ! La plume !* hurle le loup à Ivan.

Ivan agite la plume et soudain, une étrange nuée de vapeur violette enveloppe le dragon, qui, brusquement, s'effondre sur le sol comme une masse. Ivan s'approche tout doucement du dragon, saisit le pendentif et brise l'œuf. La nuée violette s'élève alors dans le ciel, emportant avec elle le sorcier... et bien sûr tous ses sortilèges ! La princesse Pétrouchka, enfin libérée, se jette dans les bras de son sauveur. Tous les hommes de pierre se mettent soudain à revivre et acclament Ivan et la jeune princesse.
Pétrouchka grimpe alors avec Ivan sur le dos du loup gris qui les emporte vite jusqu'au royaume de la Taïga blanche. Sur les marches de son palais, le vieux roi n'en croit pas ses yeux : ce petit fanfaron d'Ivan lui ramène sa fille ! En serrant Pétrouchka dans ses bras, il en a la barbe tout emmêlée d'émotion ! Le voilà bien obligé de tenir sa promesse : il donne donc à Ivan la chèvre aux cornes d'argent et lui confie aussi la belle Pétrouchka :
- *Prends bien soin d'elle, car elle est mon plus beau trésor.*

Chevauchant le fidèle loup gris et accompagnés de la chèvre magique, le prince Ivan et la princesse Pétrouchka gagnent ensuite le royaume de l'Orient bleu. En les voyant arriver, le roi est tellement surpris qu'il manque d'en perdre son turban : comment ce garçon a-t-il bien pu réussir ? En tout cas, le voilà bien obligé lui aussi de tenir parole : il échange donc la chèvre aux cornes d'argent contre l'oiseau de feu, puis il laisse repartir l'étrange équipée.
Étrange, c'est le moins que l'on puisse dire. Charmante aussi, imaginez plutôt : un prince intrépide et une princesse aux cheveux couleur de soleil chevauchant un grand loup gris qui porte entre ses crocs la cage d'un oiseau couleur de feu illuminant toute la forêt !
C'est ainsi qu'Ivan, comme il l'avait promis à son père, ramena l'oiseau de feu. Il fit sensation en entrant au palais accompagné de la plus belle des princesses et d'un étrange loup gris aux yeux très doux et pleins de malice.

Pour fêter ce retour, on donna un festin grandiose et le soir même, on célébra le mariage d'Ivan et Pétrouchka. On raconte que depuis ce jour l'oiseau de feu, les cheveux couleur de soleil de Pétrouchka et les pommes d'or du jardin, baignent le royaume d'une clarté si lumineuse que jamais les ténèbres ne parviennent à l'obscurcir.